Gourmandises

p

cake à la cannelle et aux raisins secs

pour 1 cake

150 g de beurre, coupé en dés,
un peu plus pour graisser

350 g de farine

1 pincée de sel

1 cuil. à soupe de levure
chimique

1 cuil. à soupe de cannelle
en poudre

125 g de sucre roux

175 g de raisins secs

zeste finement râpé d'une orange

5 à 6 cuil. à soupe de jus d'orange

6 cuil. à soupe de lait

2 œuf, légèrement battus

1 Beurrer un moule à cake
d'une contenance de 900 ml
et le chemiser de papier sulfurisé.

2 Tamiser la farine, le sel, la levure
et la cannelle dans une jatte,
et incorporer le beurre avec les doigts,
de façon à obtenir une consistance
de chapelure.

3 Ajouter le sucre, les raisins
et le zeste d'orange, battre le jus
d'orange, le lait et les œufs, et ajouter
à la préparation précédente.

4 Garnir le moule de la préparation
obtenue et pratiquer une entaille
à l'aide d'un couteau au centre du cake
pour l'aider à lever.

5 Cuire au four préchauffé,
à 180°C (th. 6), 1 heure à 1 h 10.
Pour vérifier la cuisson, piquer la pointe
d'un couteau : elle doit ressortir sans
trace de pâte.

6 Laisser le cake tiédir, démouler
et laisser refroidir complètement
sur une grille. Découper en tranches
et servir.

CONSEIL

Une fois que vous avez incorpor
les ingrédients liquides,
enchaînez rapidement les étape
4 et 5 car la levure chimique
s'active à leur contact.

ake à la banane et aux airelles

pour 1 cake

cuil. à soupe de beurre,
  pour graisser
'5 g de farine levante
cuil. à café de levure chimique
0 g de sucre roux
bananes, écrasées
) g de fruits confits, hachés
g de mélange de noix hachées
) g d'airelles séchées
à 6 cuil. à soupe de jus d'orange
œufs, légèrement battus
60 ml d'huile de tournesol
5 g de sucre glace, tamisé
ste râpé d'une orange

CONSEIL

Conservez ce cake dans
un endroit frais et sec,
soigneusement enveloppé.

1 Beurrer un moule à cake
d'une contenance de 900 ml
et le chemiser de papier sulfurisé.

2 Tamiser la farine et la levure
dans une jatte et ajouter le sucre,
les bananes, les fruits confits, les noix
et les airelles en remuant.

3 Battre le jus d'orange, les œufs
et l'huile, et incorporer au mélange
à base de fruits. Garnir le moule
de la préparation obtenue et lisser
la surface à l'aide d'une spatule.

4 Cuire au four préchauffé, à 180 °C
(th. 6), environ 1 heure, jusqu'à
ce que le cake soit ferme au toucher.
Pour vérifier la cuisson, piquer la pointe
d'un couteau : elle doit ressortir sans
trace de pâte.

5 Démouler et laisser tiédir sur
une grille.

6 Mélanger le sucre glace
à un peu d'eau, napper le cake
et parsemer de zeste d'orange.
Laisser prendre et servir coupé
en tranches.

cake aux bananes et aux dattes

pour 1 cake

100 g de beurre, coupé en dés,
un peu plus pour graisser

225 g de farine levante

75 g de sucre en poudre

125 g de dattes, dénoyautées
et coupées en morceaux

2 bananes, grossièrement
écrasées

2 œufs, légèrement battus

2 cuil. à soupe de miel liquide

CONSEIL

Vous pourrez conserver ce cake
pour le thé quelques jours dans
un endroit frais et sec dans
un récipient hermétique.

VARIANTE

Remplacez les dattes par d'autres
fruits secs comme des pruneaux
ou des abricots. Pour de meilleurs
résultats, ne les faites pas tremper.

---

1 Beurrer un moule à cake d'une contenance de 900 ml et le chemiser de papier sulfurisé.

2 Tamiser la farine dans une jatte et incorporer le beurre avec les doigts, de façon à obtenir une consistance de chapelure.

3 Ajouter le sucre, les dattes, le miel, les bananes et les œufs, et remuer, de façon à obtenir une consistance lisse.

4 Garnir le moule de la préparatio obtenue et lisser la surface ave le dos d'un couteau.

5 Cuire au four préchauffé, à 160 (th. 5-6), 1 heure, jusqu'à ce qu le cake soit ferme au toucher. Pour vérifier la cuisson, piquer la pointe d'un couteau : elle doit ressortir sans trace de pâte.

6 Laisser tiédir, démouler et laisse refroidir complètement sur une grille.

7 Servir chaud ou froid, coupé en tranches épaisses.

cake aux fruits à la compote de pommes

pour 1 cake

1 cuil. à soupe de beurre,
pour graisser
175 g de flocons d'avoine
1 cuil. à café de cannelle
en poudre
100 g de sucre roux
125 g de raisins de Smyrne
175 g de raisins secs sans pépins
2 cuil. à soupe d'extrait de malt
300 ml de jus de pomme
sans sucre ajouté
175 g de farine levante complète
1 cuil. à café ½ de levure
chimique
COMPOTE DE FRUITS
225 g de fraises, lavées
et équeutées
2 pommes à cuire, évidées,
hachées et mélangées
à 1 cuil. à soupe
de jus de citron
300 ml de jus de pomme
sans sucre ajouté
ACCOMPAGNEMENT
fruits rouges
pommes, coupées en quartiers

1 Beurrer un moule à cake
d'une contenance de 900 ml
et le chemiser de papier sulfurisé.
Dans une jatte, mélanger les flocons
d'avoine, le sucre, la cannelle, les raisins,

l'extrait de malt et le jus de pomme,
et laisser macérer 30 minutes.

2 Tamiser la farine et la levure,
et incorporer à la préparation
précédente à l'aide d'une cuillère
en métal, en ajoutant le son resté
dans le tamis.

3 Garnir le moule de la préparation
obtenue et cuire au four
préchauffé, à 180 °C (th. 6), 1 h 30.
Pour vérifier la cuisson, piquer la pointe
d'un couteau : elle doit ressortir sans
trace de pâte.

4 Laisser tiédir 10 minutes, démouler
et laisser refroidir complètement
sur une grille.

5 Pour la compote, mettre les frais
les pommes et le jus de pomm
dans une casserole, porter à ébullitio
et laisser cuire à feu doux 30 minute
Battre la compote, verser dans un bo
chaud et laisser refroidir. Fermer
et étiqueter.

6 Servir le cake accompagné
de compote et de fruits.

6

ain levé au chocolat

pour 1 pain

cuil. à soupe de beurre,
  pour graisser
50 g de farine, un peu plus
  pour pétrir
5 g de cacao en poudre
cuil. à café de sel
sachet de levure de boulanger
5 g de sucre roux
cuil. soupe d'huile
00 ml d'eau, tiède

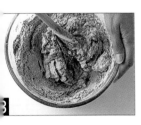

3 Ajouter l'huile et l'eau tiède et mélanger, de façon à obtenir une pâte homogène.

4 Sur un plan fariné, pétrir la pâte 5 minutes, éventuellement à l'aide d'un mixeur équipé d'un crochet pétrisseur.

1 Beurrer un moule à cake d'une contenance de 900 ml.

2 Tamiser la farine et le cacao dans une jatte et incorporer sel, la levure et le sucre.

5 Placer la pâte dans une jatte beurrée, couvrir et laisser lever environ 1 heure près d'une source de chaleur, de façon à ce qu'elle double de volume.

6 Aplatir la pâte avec les poings de sorte qu'elle prenne la forme du moule, mettre dans le moule et couvrir. Laisser lever 30 minutes près d'une source de chaleur.

7 Cuire au four préchauffé, à 200 °C (th. 6-7), 25 à 30 minutes. Pour vérifier la cuisson, tapoter le fond du moule : on doit obtenir un son creux.

8 Démouler, laisser refroidir complètement sur une grille et servir coupé en tranches.

7

pain aux dattes et au miel

pour 1 pain

1 cuil. à soupe de beurre,
  pour graisser
250 g de farine, un peu plus
  pour pétrir
75 g de farine complète
½ cuil. à café de sel
1 sachet de levure de boulanger
200 ml d'eau, tiède
3 cuil. à soupe d'huile
  de tournesol
3 cuil. à soupe de miel liquide
75 g de dattes, dénoyautées
  et coupées en morceaux
2 cuil. à soupe de graines
  de sésame

CONSEIL

Si vous ne disposez pas de source
de chaleur pour faire lever, posez
la jatte sur une casserole d'eau
chaude et couvrez.

1 Beurrer un moule à cake d'une contenance de 900 ml. Tamiser les farines dans une jatte et incorporer le sel et la levure.

2 Verser l'eau tiède, l'huile et le miel, et mélanger, de façon à obtenir une pâte homogène.

3 Sur un plan fariné, pétrir la pâte 5 minutes pour l'assouplir.

4 Placer la pâte dans une jatte beurrée, couvrir et laisser lever 1 heure près d'une source de chaleur, de façon à ce qu'elle double de volume.

5 Incorporer les dattes et les grair de sésame dans la pâte, pétrir et placer dans le moule.

6 Couvrir et laisser lever 30 minute près d'une source de chaleur, jusqu'à obtention d'une texture élastique.

7 Cuire au four préchauffé, à 220 ° (th. 7-8), 30 minutes. Pour vérifi la cuisson, tapoter le fond du moule : on doit obtenir un son creux.

8 Démouler, laisser refroidir complètement sur une grille et servir le pain aux dattes et au miel coupé en tranches épaisses.

pain torsadé à la mangue

pour 1 pain

40 g de beurre, coupé en dés,
un peu plus pour graisser

450 g de farine, un peu plus
pour pétrir

1 cuil. à café de sel

1 sachet de levure de boulanger

1 cuil. à café de gingembre
en poudre

50 g de sucre roux

1 petite mangue, épluchée,
dénoyautée et réduite en purée

250 ml d'eau, tiède

2 cuil. à soupe de miel liquide

125 g de raisins de Smyrne

1 œuf, légèrement battu

sucre glace, pour saupoudrer

1 Beurrer légèrement une plaque de four. Tamiser la farine et le sel dans une jatte, ajouter le gingembre, la levure et le sucre roux, et incorporer le beurre avec les doigts, de façon à obtenir une consistance de chapelure.

2 Ajouter la purée de mangue, l'eau et le miel en remuant, de façon à obtenir une pâte homogène.

3 Sur un plan fariné, pétrir la pâte 5 minutes pour l'assouplir, éventuellement à l'aide d'un mixeur équipé d'un crochet pétrisseur. Placer la pâte dans une jatte beurrée, couvrir et laisser lever 1 heure près d'une source de chaleur, de façon à ce qu'elle double de volume.

4 Incorporer les raisins secs, pétrir et façonner deux rouleaux de pâ de 25 cm. Les torsader ensemble et les souder en pinçant les extrémité Disposer sur la plaque, couvrir et laiss lever 40 minutes près d'une source de chaleur.

5 Dorer à l'œuf battu et cuire au fc préchauffé, à 220 °C (th. 7-8), 30 minutes, jusqu'à ce que le pain soit doré. Laisser refroidir sur une gril saupoudrer de sucre glace et servir.

CONSEIL

Pour vérifier la cuisson du pain, tapoter le fond du moule : on doit obtenir un son creux.

pain aux agrumes

pour 1 pain

450 g de farine, un peu plus
pour pétrir

½ cuil. à café de sel

50 g de sucre en poudre

1 sachet de levure de boulanger

50 g de beurre, coupé en dés,
un peu plus pour graisser

5 à 6 cuil. à soupe de jus
d'orange

4 cuil. à soupe de jus de citron

3 à 4 cuil. à soupe de jus
de citron vert

150 ml d'eau, tiède

1 orange

1 citron

1 citron vert

2 cuil. à soupe de miel liquide

avec les doigts, jusqu'à obtention
d'une pâte homogène.

4 Sur un plan fariné, pétrir la pâte
5 minutes, placer dans une jatte
beurrée et couvrir. Laisser lever 1 heure
près d'une source de chaleur, de façon
à ce qu'elle double de volume.

5 Zester l'orange, le citron et le citron
vert, incorporer à la pâte et pétrir.

6 Diviser la pâte en deux boules,
l'une un peu plus grosse
que l'autre.

9 Cuire au four préchauffé, à 220 °C
(th. 7-8), 35 minutes, enduire
la surface de miel et servir.

7 Disposer la grosse boule
sur la plaque de four et placer
la seconde par-dessus.

1 Beurrer légèrement une plaque
de four.

2 Tamiser la farine et le sel dans
une jatte, ajouter le sucre
et la levure, et bien mélanger.

8 Enfoncer un doigt fariné au centre
de la pâte, couvrir et laisser
lever 40 minutes, jusqu'à obtention
d'une texture élastique.

3 Incorporer le beurre avec
les doigts, de façon à obtenir
une consistance de chapelure, ajouter
les jus de fruits et l'eau, et mélanger

11

couronne de pain fourré

pour 1 couronne

225 g de farine

½ cuil. à café de sel

1 sachet de levure de boulanger

25 g de beurre, coupé en dés,
    un peu plus pour graisser

125 ml de lait, tiède

1 œuf, légèrement battu

GARNITURE

50 g de beurre, en pommade

50 g de sucre roux

25 g de noisettes, concassées

25 g de gingembre confit,
    haché

50 g de zestes de fruits confits

1 cuil. à soupe de rhum
    ou de cognac

GLAÇAGE

100 g de sucre glace

2 cuil. à soupe de jus de citron

1 Beurrer une plaque de four. Tamiser la farine, le sel et la levure dans une jatte, incorporer le beurre avec les doigts et ajouter le lait et l'œuf, de façon à obtenir une pâte.

2 Placer la pâte dans une jatte beurrée, couvrir et laisser lever 40 minutes près d'une source de chaleur, de façon à ce qu'elle double de volume. Pétrir 1 minute et abaisser en un rectangle de 30 x 23 cm.

3 Pour la garniture, battre le beurre en crème avec le sucre jusqu'à ce que le mélange blanchisse, incorporer les noisettes, le gingembre, les fruits confits et le rhum, et répartir sur la pâte en laissant une marge de 2,5 cm.

4 Façonner un boudin avec la pâte en la roulant dans sa longueur, couper en tranches de 5 cm et disposer en cercle sur la plaque. Couvrir et laisser lever 30 minutes près d'une source de chaleur.

5 Cuire au four préchauffé, à 190 °C (th. 6-7), 20 à 30 minutes, jusqu'à ce que la couronne soit dorée. Mélanger le sucre glace au jus de citron de façon à obtenir un glaçage fin.

6 Laisser la couronne tiédir, napper de glaçage et servir.

muffins aux fruits rouges

pour 18 muffins

1 cuil. à soupe de beurre,
   pour graisser

225 g de farine

2 cuil. à café de levure chimique

½ cuil. à café de sel

50 g de sucre en poudre

4 cuil. à soupe de beurre, fondu

2 œufs, battus

100 g de canneberges,
   de groseilles ou d'airelles
   fraîches

200 ml de lait

35 g de parmesan, fraîchement râpé

1 Beurrer légèrement 18 moules à muffins. Tamiser la farine, la levure et le sel dans une jatte, et ajouter le sucre.

2 Dans une autre jatte, mélanger le beurre, les œufs et le lait, incorporer à la préparation précédente et incorporer les fruits rouges.

3 Répartir la préparation dans les moules.

4 Saupoudrer chaque muffin d'un peu de parmesan.

5 Cuire au four préchauffé, à 200 °C (th. 6-7), 20 minutes, jusqu'à ce que les muffins soient bien levés et dorés.

6 Laisser les muffins tiédir, démouler et laisser refroidir complètement sur une grille. Servir.

pirales à la cannelle

pour 12 spirales

5 g de beurre, coupé en dés,
   un peu plus pour graisser
25 g de farine, un peu plus
   pour pétrir
cuil. à café de sel
sachet de levure de boulanger
œuf, battu
25 ml de lait, tiède
cuil. à soupe de sirop d'érable
ARNITURE
0 g de beurre, en pommade
0 g de sucre roux
cuil. à café de cannelle
   en poudre
0 g de raisins secs

1 Beurrer un moule carré de 23 cm de côté.

2 Tamiser la farine et le sel dans une jatte, ajouter la levure et incorporer le beurre avec les doigts, de façon à obtenir une consistance de chapelure. Ajouter l'œuf et le lait, et mélanger, jusqu'à obtention d'une pâte souple.

3 Placer la pâte dans une jatte beurrée, couvrir et laisser lever près d'une source de chaleur 40 minutes, de façon à ce qu'elle double de volume.

4 Sur un plan fariné, pétrir la pâte 1 minute et l'aplatir avec les poings, de sorte qu'elle forme un rectangle de 30 x 23 cm.

5 Pour la garniture, battre le beurre en crème avec le sucre et la cannelle, jusqu'à ce que le mélange blanchisse, répartir sur la pâte en laissant 2,5 cm de marge et parsemer de raisins secs.

6 Rouler la pâte dans le sens de la longueur, bien souder

les bords et couper en 12 tranches. Disposer dans le moule, couvrir et laisser reposer 30 minutes.

7 Cuire au four préchauffé, à 190 °C (th. 6-7), 20 à 30 minutes, jusqu'à ce que les spirales soient bien levées. Enduire de sirop d'érable, laisser tiédir et servir.

gâteau croquant aux fruits secs

8 personnes

100 g de beurre, en pommade,
un peu plus pour graisser

100 g de sucre en poudre

2 œufs, battus

50 g de farine levante, tamisée

100 g de polenta

1 cuil. à café de levure chimique

225 g de mélange de fruits secs

zeste râpé d'un citron

4 cuil. à soupe de jus de citron

25 g de pignons

2 cuil. à soupe de lait

1 Beurrer un moule à gâteau de 18 cm de diamètre et le chemiser de papier sulfurisé.

2 Dans une jatte, battre le beurre en crème avec le sucre, jusqu'à ce que le mélange blanchisse.

3 Ajouter progressivement les œufs battus sans cesser de battre.

4 Incorporer la farine, la levure et la polenta à la préparation précédente.

5 Ajouter les fruits secs, le zeste et le jus de citron, les pignons et le lait.

6 Garnir le moule de la préparation et lisser la surface.

7 Cuire au four préchauffé, à 180 °C (th. 6), environ 1 heure. Pour vérifier la cuisson, piquer la pointe d'un couteau : elle doit ressortir sans trace de pâte.

8 Laisser tiédir le gâteau, démouler et servir.

VARIANTE

Pour un gâteau croquant, fruité et plus léger, remplacez la polenta par 150 g de farine levante.

gâteau aux clémentines

8 personnes

175 g de beurre, en pommade,
  un peu plus pour graisser
2 clémentines
175 g de sucre en poudre
175 g de farine levante
3 œufs, battus
3 cuil. à soupe de poudre
  d'amandes
3 cuil. à soupe de crème fraîche
  liquide
SIROP ET GARNITURE
6 cuil. à soupe de jus de clémentine
2 cuil. à soupe de sucre en poudre
3 morceaux de sucre blanc, concassés

CONSEIL

Les zestes de clémentine
peuvent également être
hachées à l'aide d'un robot
de cuisine avec le sucre
à l'étape 2. Versez le mélange
dans une jatte avec le beurre
pour le battre en crème.

---

1 Beurrer un moule rond de 18 cm
de diamètre et le chemiser
de papier sulfurisé.

2 Éplucher les clémentines,
hacher finement le zeste
et battre le beurre en crème avec
le sucre et le zeste, jusqu'à ce que
le mélange blanchisse.

3 Ajouter progressivement
les œufs en battant.

4 Incorporer la farine, la poudre
d'amandes et la crème fraîche,
et garnir le moule de la préparation
obtenue.

5 Cuire au four préchauffé, à 180 °C
(th. 6), 55 minutes à 1 heure.
Pour vérifier la cuisson, piquer la pointe
d'un couteau : elle doit ressortir sans
trace de pâte. Laisser tiédir.

6 Pour le sirop, mettre le jus
de clémentine et le sucre dans
une petite casserole, porter
à ébullition et laisser cuire à feu doux
5 minutes.

7 Napper le gâteau de sirop,
laisser absorber et parsemer
de sucre concassé.

uatre-quarts aux graines de carvi

8 personnes

25 g de beurre, en pommade,
  un peu plus pour graisser

75 g de sucre roux

œufs, battus

50 g de farine levante

cuil. à soupe de graines de carvi

este râpé d'un citron

cuil. à soupe de lait

ou 2 morceaux de cédrat confit

2 Battre le beurre en crème avec le sucre, jusqu'à ce que le mélange blanchisse.

3 Incorporer progressivement les œufs à la préparation.

4 Tamiser la farine dans la jatte et incorporer à la préparation.

5 Ajouter les graines de carvi, le lait et le zeste de citron et mélanger, jusqu'à obtention d'une consistance homogène.

Beurrer un moule à cake d'une contenance 900 ml le chemiser de papier sulfurisé.

6 Garnir le moule de la préparation obtenue et lisser la surface à l'aide d'une spatule.

7 Cuire au four préchauffé, à 160 °C (th. 5-6), environ 20 minutes.

8 Garnir le gâteau de cédrat confit et remettre au four 40 minutes, jusqu'à ce qu'il soit bien levé. Pour vérifier la cuisson, piquer la pointe d'un couteau : elle doit ressortir sans trace de pâte.

9 Laisser tiédir, démouler et laisser refroidir sur une grille.

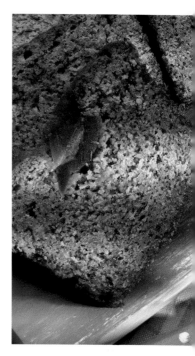

CONSEIL

On trouve du cédrat confit
au rayon pâtisserie. Vous pouvez
utiliser des zestes de fruits
confits en morceaux.

gâteau au sirop de citron

8 personnes

1 cuil. à soupe de beurre,
   pour graisser
200 g de farine
2 cuil. à café de levure chimique
200 g de sucre en poudre
4 œufs
150 ml de crème aigre
zeste râpé d'un gros citron
4 cuil. à soupe de jus de citron
150 ml d'huile de tournesol
SIROP
4 cuil. à soupe de sucre glace
3 cuil. à soupe de jus de citron

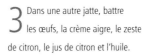

1 Beurrer légèrement un moule à gâteau de 20 cm de diamètre et le chemiser de papier sulfurisé.

2 Tamiser la farine et la levure dans une jatte et incorporer le sucre.

3 Dans une autre jatte, battre les œufs, la crème aigre, le zeste de citron, le jus de citron et l'huile.

4 Ajouter à la préparation à base de farine et bien mélanger.

5 Garnir le moule de la préparation obtenue et cuire au four préchauffé, à 180 °C (th. 6), 45 minutes à 1 heure, jusqu'à ce que le gâteau soit levé et bien doré.

6 Pour le sirop, mettre le jus de citron et le sucre dans une petite casserole et faire chauffer à feu doux sans cesser de remuer,

jusqu'à obtention d'une consistance sirupeuse, sans faire bouillir.

7 Sortir le gâteau du four, piquer à l'aide d'une brochette et napp de sirop. Laisser refroidir, démouler et servir.

CONSEIL

N'oubliez pas de piquer
le gâteau tant qu'il est encore
chaud, cela lui permet
de bien s'imbiber de sirop.

âteau aux fruits et au cidre

8 personnes

25 g de farine levante
cuil. à café de levure chimique
5 g de beurre, coupé en dés,
  un peu plus pour graisser
5 g de sucre en poudre
0 g de pommes séchées,
  coupées en morceaux
5 g de raisins secs
50 ml de cidre doux
œuf, battu
75 g de framboises

Beurrer un moule à gâteau
de 20 cm de diamètre
e chemiser de papier sulfurisé.

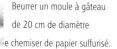 Tamiser la farine et la levure
dans une jatte et incorporer
beurre avec les doigts de façon
btenir une consistance
chapelure fine.

3 Incorporer le sucre, les raisins secs
et les pommes séchées.

4 Verser le cidre doux et l'œuf
en battant, et incorporer
les framboises en évitant de les écraser.

5 Garnir le moule de la préparation
obtenue.

6 Cuire au four préchauffé,
à 190 °C (th. 6-7), environ
40 minutes, jusqu'à ce que
le gâteau soit levé et légèrement
doré.

7 Laisser tiédir, démouler
et laisser refroidir complètement
sur une grille et servir.

kouglof à l'orange

4 personnes

225 g de beurre, en pommade,
  un peu plus graisser
225 g de sucre en poudre
4 œufs, jaunes et blancs séparés
425 g de farine
1 pincée de sel
3 cuil. à café de levure chimique
300 ml de jus d'orange
  fraîchement pressé
1 cuil. à soupe d'eau de fleur
  d'oranger
1 cuil. à soupe de zeste d'orange
  finement râpé
SIROP
200 ml de jus d'orange
200 g de sucre cristallisé

1 Beurrer un moule à kouglof
de 25 cm de diamètre.

2 Battre le beurre en crème avec
le sucre dans une jatte, jusqu'à
ce que le mélange blanchisse, et ajouter
les jaunes d'œufs progressivement,
en battant bien après chaque ajout.

3 Tamiser la farine, le sel
et la levure dans une jatte,

ajouter le jus d'orange en battant
délicatement et incorporer la fleur
d'oranger et le zeste d'orange.

4 Battre les blancs en neige ferme
et incorporer à la préparation
à l'aide d'une cuillère, en formant
des huit pour éviter de les casser.

5 Garnir le moule de la préparation
obtenue et cuire au four
préchauffé, à 180°C (th. 6),
50 à 55 minutes. Pour vérifier

la cuisson, piquer la pointe
d'un couteau : elle doit ressortir
sans trace de pâte.

6 Pour le sirop, mettre le jus
d'orange et le sucre dans
une casserole, couvrir et porter
à ébullition à feu doux.

7 Sortir le kouglof du four et laisse
tiédir 10 minutes. Piquer à l'aide
d'une brochette, napper de la moitié
du sirop et laisser refroidir encore
10 minutes. Démouler, disposer
sur une grille au-dessus d'une assiett
et napper du sirop restant, de façon
à ce qu'il soit complètement
recouvert. Laisser prendre et servir
chaud ou froid.

gâteau de carottes au gingembre

10 personnes

1 cuil. de beurre, pour graisser

225 g de farine

1 cuil. à café de levure chimique

1 cuil. à café de bicarbonate
de soude

2 cuil. à café de gingembre
en poudre

½ cuil. à café de sel

175 g de sucre roux

225 g de carottes, râpées

60 g de raisins secs sans pépins

2 morceaux de gingembre confit,
hachés

25 g de gingembre frais, râpé

2 œufs, battus

3 cuil. à soupe d'huile de maïs

jus d'une orange

GLAÇAGE

225 g de fromage blanc allégé

4 cuil. à soupe de sucre glace

1 cuil. à café d'extrait de vanille

DÉCORATION

carotte, râpée

gingembre confit, émincé

gingembre en poudre

1 Beurrer un moule de 20 cm de diamètre et le chemiser de papier sulfurisé.

2 Dans une jatte, tamiser la farine, le gingembre en poudre, le sel, le bicarbonate de soude et la levure, et ajouter le sucre, les carottes, les raisins et le gingembre confit. Battre les œufs, le jus d'orange et l'huile, et incorporer à la préparation précédente.

3 Garnir le moule de la préparation obtenue, lisser la surface et cuire au four préchauffé, à 180 °C (th. 6), 1 heure à 1 h 30, jusqu'à ce que le gâteau soit ferme. Pour vérifier la cuisson, piquer la pointe d'un couteau : elle doit ressortir sans trace de pâte. Laisser refroidir dans le moule.

4 Pour le glaçage, battre le fromage blanc dans une jatte, de façon à le fluidifier et incorporer le sucre glace et l'extrait de vanille.

5 Démouler et napper de glaçage. Décorer de gingembre confit, de gingembre en poudre et de carotte râpée, et servir.

oulé aux fraises

8 personnes

gros œufs
25 g de sucre en poudre
25 g de farine, tamisée
cuil. à soupe d'eau, chaude
ARNITURE
00 ml de mascarpone
25 g de petites fraises,
  un peu plus pour décorer
cuil. à café d'extrait d'amande
ÉCORATION
5 g d'amandes effilées, grillées
cuil. à café de sucre glace

3 Renverser la pâte sur une feuille de papier sulfurisé, décoller le papier sur lequel elle a cuit et rouler la pâte dans le papier. Envelopper dans un torchon et laisser refroidir.

1 Chemiser de papier sulfurisé une plaque de four de 35 x 25 cm. Mettre les œufs et le sucre dans une jatte disposée sur une casserole d'eau chaude et battre, jusqu'à ce que le mélange blanchisse et épaississe.

2 Retirer de la casserole, incorporer la farine et l'eau, et répartir sur la plaque. Cuire au four préchauffé, à 220 °C (th. 7-8), 8 à 10 minutes, jusqu'à ce que la pâte soit ferme.

4 Mélanger le mascarpone et l'extrait d'amande. Laver, équeuter et couper les fraises en tranches. Réserver la garniture au frais.

5 Dérouler la pâte, garnir de la préparation à base de mascarpone et parsemer de fraises. Rouler de nouveau la pâte, parsemer d'amandes et saupoudrer légèrement de sucre glace. Décorer avec des fraises.

gâteau aux fruits secs

4 personnes

1 cuil. à soupe de beurre,
pour graisser

175 g de dattes, hachées

125 g de pruneaux moelleux,
hachés

200 ml de jus d'orange
sans sucre ajouté

1 cuil. à café de zeste de citron
râpé

1 cuil. à café de zeste d'orange
râpé

2 cuil. à soupe de sirop de sucre
de canne

225 g de farine levante complète

1 cuil. à café de mélange d'épices

125 g de raisins secs sans pépins

125 g de raisins de Smyrne

125 g de raisins de Corinthe

125 g d'airelles séchées

3 gros œufs, blancs et jaunes
séparés

DÉCORATION

1 cuil. à soupe de confiture
d'abricots, ramollie

175 g de pâte de sucre

sucre glace, pour saupoudrer

zestes d'orange et de citron

1 Beurrer un moule de 20 cm
de diamètre et le chemiser
de papier sulfurisé. Dans une casserole,
mettre les dattes, les pruneaux
et le jus d'orange, et porter à ébullition
10 minutes. Retirer du feu, réduire
la préparation en purée en battant
bien et ajouter le sirop de sucre

de canne et les zestes. Bien mélanger
et laisser refroidir.

2 Dans une jatte, tamiser le mélange
d'épices et la farine, en ajoutant
le son resté dans le tamis, et incorporer
les fruits secs. Ajouter les jaunes
d'œufs à la purée de fruits, battre

et incorporer le mélange obtenu
à la préparation à base de farine.

3 Battre les blancs en neige
et incorporer à la pâte à l'aide

d'une cuillère en métal. Garnir le mou
de la préparation obtenue, cuire
au four préchauffé, à 170 °C (5-6),
1 h 30, et laisser refroidir.

4 Démouler le gâteau et le napper
de confiture. Saupoudrer le plan
de travail de sucre glace, abaisser
finement la pâte de sucre et recouvrir
le gâteau en découpant les bords.
Décorer de zestes d'orange et de citron

cake à la noix de coco

6 à 8 personnes

225 g de farine levante
100 g de beurre, coupé en dés,
    un peu plus pour graisser
1 pincée de sel
100 g de sucre roux
100 g de noix de coco
    déshydratée, un peu plus
    pour décorer
2 œufs, battus
4 cuil. à soupe de lait

2 Tamiser la farine et le sel dans une jatte et incorporer le beurre avec les doigts, de façon à obtenir une consistance de chapelure fine.

1 Beurrer un moule à cake d'une contenance de 900 ml et le chemiser de papier sulfurisé.

3 Ajouter le sucre, la noix de coco, les œufs et le lait, et mélanger, jusqu'à obtention d'une pâte souple.

4 Garnir le moule de la préparation obtenue, lisser la surface et cuire au four préchauffé, à 160 °C (th. 5-6), 30 minutes.

5 Retirer le cake du four, parsemer de la noix de coco restante et remettre au four environ 30 minute jusqu'à ce qu'il soit levé et doré. Pour vérifier la cuisson, piquer la poin d'un couteau : elle doit ressortir sans trace de pâte.

6 Laisser tiédir le cake, démouler et laisser refroidir complètement sur une grille. Servir.

âteau sicilien à l'orange et aux amandes

8 personnes

cuil. à soupe de beurre,
pour graisser

œufs, blancs et jaunes séparés

25 g de sucre en poudre

este finement râpé et jus
de 2 oranges

este finement râpé et jus
d'un citron

25 g de poudre d'amandes

5 g de farine levante

RÈME ORANGE-CANNELLE

cuil. à café de sucre en poudre

00 ml de crème fraîche

cuil. à café de cannelle

ÉCORATION

5 g d'amandes effilées, grillées

ucre glace, pour saupoudrer

VARIANTE

Vous pouvez servir ce gâteau
avec un sirop. Faites bouillir
le jus et le zeste râpé de
2 oranges, 75 g de sucre
t 2 cuillerées à soupe d'eau, 5 à
minutes, jusqu'à épaississement.
Incorporez 1 cuillerée à soupe
de liqueur à l'orange et servez.

---

1 Beurrer un moule rond de 18 cm de diamètre et chemiser de papier sulfurisé.

2 Battre les jaunes d'œufs et le sucre, de façon à ce que le mélange blanchisse et épaississe, et ajouter le zeste de citron et la moitié du zeste d'orange en fouettant.

CONSEIL

Pour travailler la crème fraîche,
faites-la refroidir ainsi que
le récipient et le fouet. Fouettez
énergiquement au début, puis
battez plus doucement ensuite.

---

3 Mélanger la poudre d'amandes et le jus des oranges et du citron, incorporer à la préparation à base de jaunes d'œufs et ajouter la farine.

4 Battre les blancs d'œufs en neige ferme et incorporer délicatement à la pâte.

5 Garnir le moule de la préparation et cuire au four préchauffé, à 180 °C (th. 6), 35 à 40 minutes, jusqu'à ce que le gâteau soit doré et souple au toucher. Laisser refroidir 10 minutes et démouler. Retourner et laisser refroidir complètement.

6 Fouetter la crème, jusqu'à ce qu'elle soit ferme, et incorporer le zeste d'orange restant, la cannelle et le sucre. Parsemer le gâteau d'amandes grillées, saupoudrer de sucre glace et servir avec la crème orange-cannelle.

mandine

8 personnes

œufs
5 g de poudre d'amandes
00 g de lait en poudre
00 g de sucre en poudre
cuil. à café de filaments
de safran
00 g de beurre
mandes effilées, pour décorer

Battre les œufs en omelette
et réserver.

Mélanger la poudre d'amandes,
le lait en poudre, le sucre
e safran dans une jatte.

Faire fondre le beurre dans
une casserole et incorporer
gneusement à la préparation
cédente.

Incorporer les œufs battus
à la préparation.

Abaisser la pâte ainsi obtenue
dans un moule à tarte

CONSEIL

Ce gâteau est meilleur
au sortir du four mais vous
pouvez le préparer jusqu'à
une semaine à l'avance
et le réchauffer. Il se prête bien
à la congélation.

de 15 à 20 cm de diamètre, et cuire
au four préchauffé, à 160 °C (th. 5-6),
45 minutes. Pour vérifier la cuisson,
piquer la pointe d'un couteau :
elle doit ressortir sans trace de pâte.

6 Laisser refroidir, couper en parts
régulières et parsemer d'amandes
effilées. Disposer les parts sur un plat
de service et servir chaud ou froid.

gâteau aux poires et au gingembre

6 personnes

200 g de beurre, en pommade,
un peu plus pour graisser

175 g de sucre en poudre

175 g de farine levante, tamisée

3 cuil. à café de gingembre
en poudre

3 œufs, battus

450 g de poires, épluchées, évidées,
coupées en fines tranches
et enduites de jus de citron

1 cuil. à soupe de sucre roux

glace ou crème fraîche,
légèrement fouettée,
en accompagnement (facultatif)

CONSEIL

Il existe de nombreuses
variétés de sucre roux,
plus ou moins cristallisés
et foncés. Si le sucre s'est
aggloméré, enveloppez
le paquet d'un torchon humide
et passez-le au micro-ondes
1 à 2 minutes à puissance
moyenne, jusqu'à ce que
le sucre soit plus mou.

1 Beurrer légèrement un moule
profond de 20,5 cm de diamètre
et chemiser de papier sulfurisé.

2 À l'aide d'un fouet, mélanger
175 g de beurre, le sucre,
la farine, le gingembre et les œufs,
jusqu'à obtention d'une consistance
homogène.

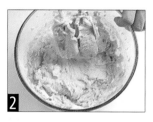

3 Garnir le moule de la préparation
obtenue et lisser la surface.

4 Disposer les tranches de poires,
saupoudrer de sucre roux
et parsemer de noix de beurre.

5 Cuire au four préchauffé à 180
(th. 6), 35 à 40 minutes, jusqu'à
ce que le gâteau soit doré et souple.

6 Servir le gâteau chaud
ou tiède, accompagné de glace
ou de crème fraîche.

VARIANTE

Pour un goût différent, remplacez
le gingembre par 2 cuillerées
à café de cannelle et utilisez
du sucre vanillé.

gâteau Streusel au café

8 personnes

275 g de farine

1 cuil. à soupe de levure chimique

75 g de sucre en poudre

150 ml de lait

2 œufs

100 g de beurre fondu, refroidi,
un peu plus pour graisser

50 g d'amandes, concassées

2 cuil. à soupe de café soluble,
délayées dans 1 cuil. à soupe
d'eau bouillante

sucre glace, pour saupoudrer

STREUSEL

75 g de farine levante

75 g de sucre roux

25 g de beurre, coupé en dés

1 cuil. à café de mélange
d'épices

1 cuil. à soupe d'eau

1 Beurrer un moule à fond
amovible de 24 cm de diamètre
et le chemiser de papier sulfurisé.
Dans une jatte, tamiser la farine
et la levure, et ajouter le sucre.

2 À l'aide d'un fouet, battre le lait,
les œufs, le beurre et le café,
incorporer le mélange obtenu
à la préparation précédente et ajouter
les amandes. Mélanger délicatement
et garnir le moule de la préparation
obtenue.

3 Pour le Streusel, mélanger
la farine et le sucre roux,
et incorporer le beurre avec les doigts,

de façon à obtenir une consistance
de chapelure. Ajouter le mélange
d'épices et l'eau, mélanger du bout
des doigts et répartir sur la base.

4 Cuire au four préchauffé,
à 190 °C (th. 6-7), 50 minutes
à 1 heure. Recouvrir de papier
d'aluminium si le Streusel brunit
trop vite. Laisser refroidir, démouler
et saupoudrer de sucre glace.

...ain d'épices

pour 12 parts

50 g de beurre, un peu plus
  pour graisser

75 g de sucre roux

cuil. à soupe de sirop de sucre
  de canne

.25 g de farine

cuil. à café de levure chimique

cuil. à café de bicarbonate
  de soude

cuil. à café de gingembre
  en poudre

.50 ml de lait

œuf, battu

pommes à couteau, concassées
  et enduites de jus de citron

VARIANTE

Si vous aimez le gingembre,
vous pouvez ajouter
25 g de gingembre confit
finement haché à l'étape 3.

Beurrer un moule à gâteau carré
  de 23 cm de côté et le chemiser
papier sulfurisé.

Dans une casserole, faire fondre
  le beurre, le sucre et le sirop à feu
.ux et laisser tiédir.

3 Tamiser la farine, la levure,
  le bicarbonate de soude
et le gingembre dans une jatte.

4 Incorporer le lait, l'œuf battu,
  la préparation à base de beurre
et les pommes citronnées.

5 Mélanger délicatement et garnir
  le moule de la préparation.

6 Cuire au four préchauffé, à 170 °C
  (th. 5-6), 30 à 35 minutes,
jusqu'à ce que le pain d'épices soit
levé. Pour vérifier la cuisson, piquer
la pointe d'un couteau : elle doit
ressortir sans trace de pâte.

7 Laisser refroidir, démouler
  et couper en 12 morceaux
rectangulaires.

cake croustillant aux mûres et aux pomme

10 personnes

1 cuil. à soupe de beurre,
  pour graisser
350 g de pommes à couteau, pelées,
  évidées et coupées en dés
3 cuil. à soupe de jus de citron
300 g de farine levante complète
½ cuil. à café de levure chimique
1 cuil. à café de cannelle en poudre
175 g de sucre roux
175 g de mûres, nettoyées
1 œuf, battu
200 ml de yaourt nature allégé
55 g de morceaux de sucre blanc
  ou roux, légèrement concassés
DÉCORATION
mûres, nettoyées
cannelle en poudre
pommes à couteau, coupées
  en tranches

VARIANTE

Vous pouvez remplacer
les mûres par des myrtilles,
en boîte ou surgelées, si vous
n'en trouvez pas de fraîches.

---

1 Beurrer un moule à cake d'une contenance de 900 ml et le chemiser de papier sulfurisé. Mettre les pommes et le jus de citron dans une casserole, porter à ébullition et couvrir. Laisser cuire à feu doux 10 minutes, jusqu'à ce que les pommes

soient tendres, bien battre et laisser refroidir.

2 Dans une jatte, tamiser la levure, la cannelle et la farine, en ajoutant

le son resté dans le tamis, et incorpore le sucre et 115 g de mûres.

3 Ménager un puits au centre des ingrédients, ajouter l'œuf, le yaourt et la compote, et mélanger. Garnir le moule de la préparation obtenue et lisser la surface.

4 Répartir les mûres restantes sur : pâte en les enfonçant légèreme parsemer de sucre concassé et cuire au four préchauffé, à 190 °C (th. 6-7) 40 à 45 minutes. Laisser refroidir.

5 Démouler le gâteau, décoller le papier sulfurisé et saupoudre de cannelle. Servir décoré de quelqu mûres et de tranches de pommes.

petits scones

8 personnes

75 g de beurre, coupé en dés,
un peu plus pour graisser
et tartiner
225 g de farine levante,
un peu plus pour saupoudrer
1 cuil. à soupe de sucre en poudre
1 pincée de sel
1 pomme à couteau, épluchée,
évidée et hachée
1 œuf, battu
2 cuil. à soupe de sirop de sucre
de canne
5 cuil. à soupe de lait

1 Beurrer légèrement une plaque de four.

2 Tamiser la farine, le sucre et le sel dans une jatte.

3 Incorporer le beurre avec les doigts, de façon à obtenir une consistance de chapelure fine.

4 Ajouter la pomme hachée en remuant.

5 Battre l'œuf, le sirop de sucre de canne et le lait dans une jatte, incorporer à la préparation précédente et mélanger, jusqu'à obtention d'une pâte souple.

6 Sur un plan fariné, abaisser la pâte de sorte qu'elle ait 2 cm d'épaisseur et y découper 8 scones à l'aide d'un emporte-pièce de 5 cm de diamètre.

7 Disposer les scones sur la plaque et cuire au four préchauffé, à 220 °C (th. 7-8), 8 à 10 minutes.

8 Laisser les scones tiédir sur une grille et servir coupés en deux, tartinés de beurre.

ablés fourrés aux pommes

4 personnes

50 g de farine, un peu plus
    pour saupoudrer
 cuil. à café de sel
cuil. à café de levure chimique
cuil. à soupe de sucre en poudre
5 g de beurre, coupé en dés,
    un peu plus pour graisser
0 ml de lait
ıcre glace, pour décorer
    (facultatif)
ıARNITURE
 pommes à couteau,
    épluchées, évidées et coupées
    en lamelles
00 g de sucre en poudre
cuil. à soupe de jus de citron
cuil. à café de cannelle en poudre
00 ml d'eau
50 ml de crème fraîche épaisse,
    légèrement fouettée

Beurrer légèrement une plaque
de four. Tamiser la farine, le sel
la levure dans une jatte, ajouter
sucre et incorporer le beurre
ıec les doigts, de façon à obtenir
e consistance de chapelure.

Ajouter le lait, mélanger, jusqu'à
obtention d'une pâte souple,
pétrir. Abaisser la pâte, de sorte

qu'elle ait environ 1 cm d'épaisseur,
découper 4 ronds à l'aide d'un
emporte-pièce de 5 cm de diamètre
et disposer sur la plaque de four.

3 Cuire au four préchauffé, à 220 °C
(th. 7-8), 15 minutes, jusqu'à
ce que les sablés soient levés et dorés,
et laisser tiédir.

4 Pour la garniture, mettre
les lamelles de pomme, le sucre,
le jus de citron, la cannelle et l'eau
dans une casserole, porter à ébullition
et laisser mijoter 5 à 10 minutes sans
couvrir, de façon à ce que les pommes
ramollissent. Laisser tiédir et retirer
les pommes de la casserole.

5 Couper les sablés dans l'épaisseur,
répartir les pommes et la crème
fouettée sur les fonds et recouvrir
des moitiés restantes. Servir saupoudré
de sucre glace.

scones à la cerise

8 personnes

225 g de farine levante,
   un peu plus pour saupoudrer
1 cuil. à soupe de sucre en poudre
1 pincée de sel
75 g de beurre, coupé en dés,
   un peu plus pour graisser
   et tartiner
40 g de cerises confites, coupées
   en morceaux
40 g de raisins secs
1 œuf, battu
50 ml de lait

CONSEIL

Ces scones peuvent être
facilement congelés,
mais ils sont meilleurs frais
et consommés dans le mois.

1 Beurrer légèrement une plaque de four.

2 Tamiser la farine, le sucre et le sel dans une jatte, et incorporer le beurre avec les doigts, de façon à obtenir une consistance de chapelure.

3 Ajouter les cerises confites, les raisins et l'œuf battu.

4 Réserver 1 cuillerée à soupe de lait et incorporer le reste à la préparation précédente, de façon à obtenir une pâte molle.

5 Sur un plan fariné, abaisser la pâ de sorte qu'elle ait 2 cm d'épaisseur et découper 8 scones à l'ai d'un emporte-pièce de 5 cm de diamèt

6 Disposer les scones sur la plaqu de four et les enduire du lait restant.

7 Cuire au four préchauffé, à 220 ° (th. 7-8), 8 à 10 minutes, jusqu' ce que les scones soient dorés.

8 Laisser refroidir sur une grille et servir tartiné de beurre.

éventails sablés au beurre

8 personnes

125 g de beurre, en pommade,
un peu plus pour graisser
40 g de sucre cristallisé,
un peu plus pour saupoudrer
25 g de sucre glace
225 g de farine, un peu plus
pour saupoudrer
1 pincée de sel
2 cuil. à café d'eau
de fleur d'oranger

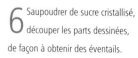

1 Beurrer légèrement un moule
à manqué de 20 cm de diamètre.

2 Dans une jatte, battre le beurre
en crème avec le sucre cristallisé
et le sucre glace, jusqu'à ce que
le mélange blanchisse.

3 Tamiser la farine et le sel dans
la jatte, ajouter l'eau de fleur
d'oranger et mélanger, jusqu'à
obtention d'une pâte souple.

4 Sur un plan fariné, abaisser
la pâte de sorte qu'elle forme
un rond de 20 cm et le placer dans
le moule. Piquer la pâte et dessiner
8 parts à l'aide d'un couteau.

5 Cuire au four préchauffé, à 160 °C
(th. 5-6), 30 à 35 minutes, jusqu'à
ce que le sablé soit légèrement doré
et croustillant.

6 Saupoudrer de sucre cristallisé,
découper les parts dessinées,
de façon à obtenir des éventails.

7 Laisser refroidir, démouler
et conserver dans une boîte
hermétique.

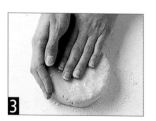

erpentins au citron

pour 50 biscuits

00 g de beurre, en pommade,
un peu plus pour graisser
25 g de sucre en poudre
este râpé d'un citron
œuf, battu
cuil. à soupe de jus de citron
50 g de farine, un peu plus
pour saupoudrer
cuil. à soupe de lait
cuil. à café de levure chimique
ucre glace, pour décorer

VARIANTE

Vous pouvez confectionner
d'autres formes, des lettres
ou des formes géométriques.

1 Beurrer légèrement plusieurs
plaques de four.

2 Battre le beurre en crème avec
le sucre et le zeste de citron,
jusqu'à ce que le mélange blanchisse.

3 Ajouter l'œuf et le jus de citron
progressivement, en battant bien.

4 Tamiser la farine et la levure,
incorporer à la préparation
précédente et mélanger avec le lait,
jusqu'à obtention d'une pâte.

5 Sur un plan fariné, abaisser la pâte
et diviser en une cinquantaine
de morceaux.

6 Avec les mains, façonner
des petits boudins de pâte,
et les tordre de façon à former un S.

7 Disposer sur les plaques et cuire
au four préchauffé, à 170 °C
(th. 5-6), 15 à 20 minutes. Laisser
refroidir sur une grille, saupoudrer
de sucre glace et servir.

43

biscuits au gingembre

pour 30 biscuits

350 g de farine levante

1 pincée de sel

200 g de sucre en poudre

125 g de beurre, un peu plus
pour graisser

1 cuil. à soupe de gingembre
en poudre

1 cuil. à café de bicarbonate de soude

75 g de sirop de sucre de canne

1 œuf, battu

1 cuil. à café de zeste d'orange râpé

CONSEIL

Conservez ces biscuits dans
un récipient hermétique et
consommez-les dans la semaine.

VARIANTE

Pour une recette plus originale
mais aussi délicieuse, remplacez
le gingembre en poudre par
1 cuillerée à soupe de poudre
de quatre-épices, et le zeste
d'orange par du zeste de citron.

---

1 Beurrer légèrement plusieurs
plaques de four.

2 Tamiser la farine, le sel, le sucre,
le gingembre et le bicarbonate
de soude dans une jatte.

3 Dans une casserole, faire fondre
le beurre avec le sirop de sucre
de canne à feu très doux.

4 Laisser tiédir et incorporer
à la préparation précédente.

5 Ajouter l'œuf et le zeste d'orange,
et bien mélanger le tout.

---

6 Diviser la pâte en 30 petites
boules régulières.

7 Disposer les boules de pâte sur
les plaques en les espaçant bien
et les aplatir doucement.

8 Cuire au four préchauffé, à 160 °
(th. 5-6), 15 à 20 minutes.
Retirer de la plaque, laisser refroidir
sur une grille et servir.

moelleux aux graines de tournesol

pour 12 moelleux

250 g de beurre, en pommade,
   un peu plus pour graisser
250 g de sucre en poudre
3 œufs, battus
250 g de farine levante
½ cuil. à café de bicarbonate
   de soude
1 cuil. à soupe de cannelle
   en poudre
150 ml de crème aigre
100 g de graines de tournesol

CONSEIL

Ces petits moelleux se congèlent
bien et se conservent
jusqu'à 1 mois.

---

1 Beurrer un moule carré de 23 cm de côté et le chemiser de papier sulfurisé.

2 Dans une jatte, battre le beurre en crème avec le sucre, jusqu'à ce que le mélange blanchisse.

3 Ajouter progressivement les œufs à la préparation précédente, en battant bien après chaque ajout.

4 Tamiser la farine levante, le bicarbonate de soude et la cannelle dans la jatte et incorporer délicatement à l'aide d'une cuillère en métal.

5 Ajouter progressivement la crème aigre et les graines de tournesol et bien mélanger.

6 Garnir le moule de la préparation obtenue et lisser la surface à l'aide d'un couteau.

7 Cuire au four préchauffé, à 180 °C (th. 6), 45 minutes, jusqu'à ce que le gâteau soit ferme au toucher.

8 Décoller les bords à l'aide d'un couteau à bout rond, démouler et laisser refroidir sur une grille. Couper en 12 parts rectangulaires et servir.

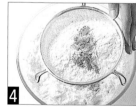

etits pavés aux noisettes

pour 16 pavés

50 g de farine

pincée de sel

cuil. à café de levure chimique

00 g de beurre, coupé en dés,
un peu plus pour graisser

50 g de sucre roux,
un peu plus pour saupoudrer
(facultatif)

œuf, battu

cuil. à soupe de lait

00 g de noisettes, coupées
en deux

1 Beurrer un moule carré de 23 cm de côté et le chemiser de papier sulfurisé.

2 Tamiser la farine, le sel et la levure dans une jatte.

3 Incorporer le beurre avec les doigts, de façon à obtenir une consistance de chapelure fine, ajouter le sucre roux et remuer.

4 Ajouter l'œuf, les noisettes et le lait, et mélanger, jusqu'à obtention d'une consistance lisse.

5 Garnir le moule de la préparation obtenue, lisser la surface et saupoudrer de sucre roux.

6 Cuire au four préchauffé, à 180 °C (th. 6), 25 minutes, jusqu'à ce que le gâteau soit souple.

7 Laisser tiédir 10 minutes, décoller les bords à l'aide d'un couteau à bout rond et laisser refroidir sur une grille. Découper en bouchées et servir chaud ou froid.

VARIANTE

Si vous voulez servir ces pavés avec le café, vous pouvez remplacer le lait par du café serré froid. Plus c'est fort, mieux c'est !

---

biscuits à l'avoine et aux raisins secs

pour 10 biscuits

50 g de beurre, un peu plus
   pour graisser
125 g de sucre en poudre
1 œuf, battu
50 g de farine
½ cuil. à café de sel
½ cuil. à café de levure chimique
175 g de flocons d'avoine
125 g de raisins secs
2 cuil. à soupe de graines de sésame

CONSEIL

Pour profiter de la saveur

de ces biscuits, conservez-les

dans une boîte hermétique.

---

1 Beurrer légèrement 2 plaques de four.

2 Dans une jatte, battre le beurre en crème avec le sucre, jusqu'à ce que le mélange blanchisse.

3 Ajouter l'œuf progressivement, en battant bien après chaque ajout.

4 Tamiser la farine, le sel et la levure dans la jatte et bien amalgamer le tout. Incorporer les flocons d'avoine, les raisins secs et les graines de sésame.

5 À l'aide d'une cuillère, répartir la préparation en 10 petits tas sur les plaques, en les espaçant bien, de sorte qu'ils puissent s'étendre à la cuisson, et les aplatir légèrement avec le dos de la cuillère.

6 Cuire au four préchauffé, à 180 °C (th. 6), 15 minutes.

7 Laisser les biscuits tiédir sur leur plaque.

8 Laisser refroidir complètement sur une grille et servir.

petits rochers

pour 8 biscuits

200 g de farine

2 cuil. à café de levure
chimique

100 g de beurre, coupé en dés,
un peu plus pour graisser

25 g de cerises confites,
finement hachées

100 g de raisins de Smyrne

75 g de sucre roux

1 œuf, battu

2 cuil. à soupe de lait

CONSEIL

Préparez les ingrédients secs
à l'avance et ajoutez le reste
juste avant la cuisson.

1 Beurrer légèrement une plaque
de four.

2 Tamiser la farine et la levure dans
une jatte et incorporer le beurre
avec les doigts, de façon à obtenir
une consistance de chapelure.

3 Incorporer le sucre, les raisins
de Smyrne et les cerises confites.

4 Ajouter l'œuf battu et le lait,
et mélanger, jusqu'à obtention
d'une pâte molle.

5 À l'aide d'une cuillère, répartir
la préparation en 8 petits tas sur
la plaque, en les espaçant bien, de sorte
qu'ils puissent s'étendre à la cuisson.

6 Cuire au four préchauffé, à 200 °C
(th. 6-7), 15 à 20 minutes,
jusqu'à ce que les rochers soient
fermes au toucher.

7 Retirer les rochers de la plaque
et servir immédiatement
ou laisser refroidir complètement
sur une grille.

roissants aux agrumes

pour 25 biscuits

0 g de beurre, en pommade,
un peu plus pour graisser
g de sucre en poudre,
un peu plus pour saupoudrer
(facultatif)
œuf, blanc et jaune séparés
0 g de farine, un peu plus
pour saupoudrer
ste râpé d'une orange
ste râpé d'un citron
ste râpé d'un citron vert
à 3 cuil. à soupe de jus d'orange

1 Beurrer légèrement 2 plaques
de four.

2 Dans une jatte, battre le beurre
en crème avec le sucre, jusqu'à
ce que le mélange blanchisse, et ajouter
le jaune d'œuf, sans cesser de battre.

3 Tamiser la farine dans la jatte,
incorporer avec les zestes
d'agrumes et le jus d'orange,
et mélanger jusqu'à obtention
d'une pâte souple.

4 Sur un plan fariné, abaisser
la pâte, découper des ronds
à l'aide d'un emporte-pièce de 7,5 cm

de diamètre et dessiner des croissants
en retirant un quart de chaque rond
à l'emporte-pièce. Utiliser les chutes
pour répéter l'opération, de façon
à obtenir 25 croissants.

5 Disposer les croissants sur
les plaques à pâtisserie et piquer
la pâte à l'aide d'une fourchette.

6 Battre le blanc d'œuf, en enduire
les biscuits et saupoudrer
de sucre en poudre.

7 Cuire au four préchauffé, à 200 °C
(th. 6-7), 12 à 15 minutes, laisser
refroidir et servir.

51

flapjacks à la noix de coco

pour 16 flapjacks

200 g de beurre, un peu plus
pour graisser
200 g de sucre roux
2 cuil. à soupe de sirop de sucre
de canne
275 g de flocons d'avoine
100 g de noix de coco
déshydratée
75 g de cerises confites, hachées

CONSEIL

Ces flapjacks peuvent
se conserver dans un récipient
hermétique et se déguster dans
la semaine ou se congeler 1 mois.

VARIANTE

Faites fondre 115 g de beurre
avec 3 cuillerées à soupe
de sucre en poudre
et 3 cuillerées à soupe de sirop
de sucre de canne dans
une casserole. Incorporez 175 g
de flocons d'avoine, disposez
sur une plaque graissée,
et faites cuire comme indiqué.

1 Beurrer légèrement une plaque de four de 30 x 23 cm.

2 Faire fondre le beurre, le sucre roux et le sirop de sucre de canne dans une grande casserole.

3 Ajouter les flocons d'avoine, la noix de coco déshydratée et les cerises confites, et mélanger.

4 Répartir la préparation sur la plaque de four et lisser la surface à l'aide d'une spatule.

5 Cuire au four préchauffé, à 170 (th. 5-6), 30 minutes.

6 Retirer du four et laisser tiédir sur la plaque de four 10 minute

7 Découper en 16 bouchées à l'a d'un couteau tranchant.

8 Laisser les flapjacks refroidir complètement sur une grille.

cookies au beurre de cacahuètes

pour 20 cookies

125 g de beurre, en pommade,
un peu plus pour graisser
150 g de beurre de cacahuètes
avec des éclats
225 g de sucre cristallisé
1 œuf, légèrement battu
150 g de farine
75 g de cacahuètes, concassées
½ cuil. à café de levure chimique
1 pincée de sel

CONSEIL

Pour des biscuits brillants
et plus croquants sous la dent,
saupoudrez-les de sucre roux
avant la cuisson.

VARIANTE

Pour changer, utilisez du sucre
roux à la place du sucre en
poudre et ajoutez 1 cuillerée à
café de poudre de quatre-épices
avec la farine et la levure.

---

1 Beurrer légèrement 2 plaques de four.

2 Dans une grande jatte, battre le beurre avec le beurre de cacahuètes.

3 Ajouter le sucre progressivement, sans cesser de battre.

4 Ajouter l'œuf progressivement, en battant bien après chaque ajout.

5 Tamiser la farine, la levure et le sel dans la préparation.

6 Ajouter les cacahuètes concassées et bien mélanger, jusqu'à obtention d'une pâte souple. Couvrir de film alimentaire et mettre au réfrigérateur 30 minutes.

7 Diviser la pâte en 20 boules, les répartir sur les plaques en les espaçant de 5 cm, de façon à ce qu'elles puissent s'étendre à la cuisson, et les aplatir légèrement avec la main.

8 Cuire au four préchauffé, à 190 °C (th. 6-7), 15 minutes, jusqu'à ce que les cookies soient bien dorés, et laisser refroidir sur une grille.

frangipane aux fruits

8 personnes

PÂTE

150 g de farine, un peu plus
  pour saupoudrer

25 g de sucre en poudre

125 g de beurre, coupé en dés

1 cuil. à soupe d'eau

GARNITURE

200 g de beurre

200 g de sucre en poudre

1 œuf

2 jaunes d'œufs

40 g de farine, tamisée

4 cuil. à soupe de crème fraîche
  épaisse

175 g de poudre d'amandes

410 g d'abricots en sirop,
  égouttés

125 g de groseilles fraîches

1 Pour la pâte, mettre la farine et le sucre dans une jatte, incorporer le beurre avec les doigts, de façon à obtenir une consistance de chapelure, et ajouter l'eau. Travailler le mélange, jusqu'à obtention d'une pâte souple, envelopper de film alimentaire et mettre au réfrigérateur 30 minutes.

2 Sur un plan fariné, abaisser la pâte pour foncer un moule à tarte à fond amovible de 24 cm de diamètre, piquer la pâte à l'aide d'une fourchette et mettre au réfrigérateur 30 minutes.

3 Recouvrir la pâte de papier d'aluminium et de haricots secs, et cuire au four préchauffé, à 190 °C

(th. 6-7), 15 minutes. Retirer le papier d'aluminium et les haricots secs, et cuire encore 10 minutes.

4 Pour la garniture, battre le beurre en crème avec le sucre, jusqu'à ce que le mélange blanchisse, et ajouter les œufs, la farine, la poudre d'amandes et la crème fraîche, sans cesser de remuer.

5 Disposer les abricots et les groseilles sur le fond de tarte et napper de garniture.

6 Cuire au four 1 heure, jusqu'à ce que la garniture soit prise, laisser tiédir et servir chaud ou froid.

arte aux pignons

8 personnes

ÂTE

50 g de farine, un peu plus
   pour saupoudrer

5 g de sucre en poudre

25 g de beurre, coupé en dés

cuil. à soupe d'eau

ARNITURE

50 g de fromage blanc

cuil. à soupe de crème fraîche
   épaisse

œufs

25 g de sucre en poudre

este râpé d'une orange

00 g de pignons

ucre glace, pour saupoudrer

1 Pour la pâte, mettre la farine
et le sucre dans une jatte,
incorporer le beurre avec les doigts,
de façon à obtenir une consistance
de chapelure, et ajouter l'eau. Travailler
le mélange, jusqu'à obtention d'une pâte
souple, envelopper de film alimentaire
et mettre au réfrigérateur 30 minutes.

2 Sur un plan fariné, abaisser la pâte
pour foncer un moule à tarte
à fond amovible de 24 cm de diamètre,
piquer la pâte à l'aide d'une fourchette
et mettre au réfrigérateur 30 minutes.

3 Recouvrir la pâte de papier
d'aluminium et de haricots secs,
et cuire au four préchauffé, à 190 °C
(th. 6-7), 15 minutes. Retirer le papier
d'aluminium et les haricots secs,
et cuire encore 15 minutes.

4 Pour la garniture, battre
la crème, les œufs, le sucre,
le zeste d'orange, la moitié des pignons
et le fromage blanc, verser sur le fond
de tarte et parsemer des pignons
restants.

5 Cuire au four à 160 °C (th. 5-6),
35 minutes, jusqu'à ce que
la garniture soit prise. Laisser tiédir,
saupoudrer de sucre glace et servir.

VARIANTE

Remplacez les pignons
par des amandes effilées.

pudding de pain à l'italienne

4 personnes

1 cuil. à soupe de beurre,
  pour graisser
2 petites pommes, épluchées,
  évidées et coupées en rondelles
75 g de sucre cristallisé
2 cuil. à soupe de vin blanc
100 g de pain, coupé en tranches
  et sans la croûte (une baguette
  un peu rassise est idéale)
2 œufs, battus
300 ml de crème fraîche liquide
zeste d'une orange, coupé
  en lanières

VARIANTE

Pour varier, ajoutez au pudding
des fruits secs, comme
des abricots, des cerises
ou des dattes.

---

1 Beurrer légèrement un plat
allant au four d'une contenance
de 1,2 l.

2 Répartir les rondelles de pommes
au fond du plat et saupoudrer
de la moitié du sucre.

3 Verser le vin et ajouter
les tranches de pain,
en les aplatissant légèrement
de la paume de la main.

4 Mélanger la crème fraîche,
les œufs, le sucre restant
et le zeste d'orange, verser sur le pain
et laisser macérer 30 minutes.

5 Cuire au four préchauffé,
à 180 °C (th. 6), 25 minutes,
jusqu'à ce que le pain soit doré
et que la crème soit prise. Servir
chaud ou tiède.

CONSEIL

Certaines variétés de pommes
sont plus adaptées
à la cuisson que d'autres
et vous assureront un excellent
résultat. Les meilleures
d'entre elles sont : les Golden,
les Fuji, les Pink lady,
les reinettes des reinettes
et les reines grises du Canada.

tartelettes à la crème brûlée

6 personnes

PÂTE

150 g de farine, un peu plus
   pour saupoudrer
25 g de sucre en poudre
125 g de beurre, coupé en dés
1 cuil. à soupe d'eau

GARNITURE

4 jaunes d'œufs
50 g de sucre en poudre
400 ml de crème fraîche épaisse
1 cuil. à café d'extrait de vanille
sucre roux, pour saupoudrer

1 Mettre la farine et le sucre dans
une jatte, incorporer le beurre
avec les doigts, de façon à obtenir
une consistance de chapelure, et ajouter
l'eau. Travailler le mélange, jusqu'à
obtention d'une pâte souple,
envelopper de film alimentaire
et mettre au réfrigérateur 30 minutes.

2 Foncer des moules à tartelette
de 10 cm de diamètre, piquer

la pâte à l'aide d'une fourchette
et mettre au réfrigérateur 20 minutes.

3 Couvrir les fonds de tarte de papier
d'aluminium et de haricots secs,
et cuire au four préchauffé, à 190 °C

(th. 6-7), 15 minutes. Retirer le papier
d'aluminium et les haricots secs
et cuire encore 10 minutes, jusqu'à
ce que les fonds de tarte soient dorés.

4 Battre les jaunes d'œufs avec
le sucre, jusqu'à ce que le mélange
blanchisse, faire chauffer la crème
et la vanille sans laisser bouillir et ajouter
à la préparation aux œufs en fouettant.

5 Transférer le mélange dans
une casserole et faire chauffer

sans cesser de remuer, jusqu'à ce que
la préparation épaississe, sans laisser
bouillir.

6 Laisser tiédir, garnir les tartelettes
et laisser refroidir complètement.
Mettre au réfrigérateur une nuit.

7 Saupoudrer les tartelettes
de sucre roux, passer au gril
préchauffé quelques minutes et laisser
refroidir. Mettre au réfrigérateur
2 heures et servir.

poires caramélisées à la cannelle

4 personnes

4 poires mûres

2 cuil. à soupe de jus de citron

4 cuil. à soupe de sucre roux

1 cuil. à café de cannelle
    en poudre

55 g de margarine allégée

crème anglaise allégée,
    en accompagnement

zeste de citron râpé, pour décorer

1 Peler et évider les poires, les couper en deux dans la longueur et les enduire de jus de citron, de sorte qu'elles ne noircissent pas. Disposer dans un plat allant au four antiadhésif, côté évidé vers le bas.

2 Dans une casserole, faire fondre le sucre roux, la cannelle et la margarine à feu doux, sans cesser de remuer, de sorte que l'eau contenue dans la margarine ne s'évapore pas complètement. Verser le mélange sur les poires.

3 Cuire au four préchauffé, à 200 °C (th. 6-7), 20 à 25 minutes, jusqu'à ce que les poires soient tendres et dorées, en arrosant de temps en temps de sucre.

4 Faire chauffer la crème anglaise, jusqu'à ce qu'elle soit brûlante, la répartir sur quatre assiettes à dessert chaudes et disposer 2 moitiés de poire sur chacune.

5 Décorer de zeste de citron râpé et servir immédiatement.

avlova

6 personnes

blancs d'œufs
pincée de sel
75 g de sucre en poudre
00 ml de crème fraîche épaisse,
  légèrement fouettée
uits frais de son choix
  (framboises, fraises,
  pêches, fruits de la passion,
  physalis, etc.)

1 Chemiser une plaque de four d'une feuille de papier sulfurisé et battre les blancs d'œufs en neige ferme dans une jatte avec le sel.

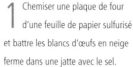

2 Ajouter le sucre progressivement, en battant bien après chaque ajout, jusqu'à incorporation complète du sucre, de façon à ce que la meringue soit lisse et brillante.

3 À l'aide d'une cuillère, étaler les trois quarts de la meringue sur la plaque de four, de façon à former un rond de 20 cm de diamètre.

4 À l'aide d'une cuillère, disposer la meringue restante sur les bords du rond, de façon à former un nid.

5 Cuire au four préchauffé, à 140 °C (th. 4-5), 1 h 15.

6 Éteindre le four et laisser refroidir complètement la meringue à l'intérieur.

7 Disposer le pavlova sur un plat, napper de crème fouettée et répartir les fruits frais au moment de servir afin d'éviter que la meringue ramollisse.

jalousie aux raisins et au mincemeat

4 personnes

1 cuil. à soupe de beurre,
pour graisser

farine, pour saupoudrer

500 g de pâte feuilletée fraîche,
prête à l'emploi

410 g de mincemeat

100 g de grains de raisin, épépinés
et coupés en deux

1 œuf, légèrement battu, pour dorer

sucre roux, pour saupoudrer

1 Beurrer légèrement une plaque de four.

2 Sur un plan fariné, abaisser la pâte et la découper en 2 rectangles.

3 Disposer l'un des deux sur la plaque beurrée et humecter les extrémités à l'aide d'un pinceau.

4 Dans une jatte, mélanger le raisin et le mincemeat et étaler la préparation obtenue sur la pâte disposée sur la plaque beurrée, en laissant une marge aux extrémités d'environ 2,5 cm.

5 Plier en deux l'autre rectangle dans la longueur et pratiquer des incisions parallèles en biais du côté de la pliure, en laissant une marge de 2,5 cm sur les trois autres côtés.

6 Ouvrir le rectangle de pâte, le disposer sur la garniture et bien appuyer sur les bords pour souder les deux rectangles.

7 Former une rainure aux extrémi[...] de la pâte, dorer à l'œuf battu à l'aide d'un pinceau et saupoudrer de sucre roux.

8 Cuire au four préchauffé, à 220 (th. 7-8), 15 minutes, réduire la température à 180 °C (th. 6), et cu[...] encore 30 minutes, jusqu'à ce que la jalousie soit bien levée et dorée. Laisser refroidir sur une grille et servi[...]

tarte à la mélasse

8 personnes

250 g de pâte brisée fraîche,
    prête à l'emploi
farine, pour saupoudrer
350 g de sirop de sucre de canne
125 g de chapelure fraîche
125 ml de crème fraîche épaisse
zeste finement râpé
    d'un demi-citron
    ou d'une demi-orange
2 cuil. à soupe de jus d'orange
    ou de citron
crème anglaise,
    en accompagnement

CONSEIL

Le sirop de sucre est assez
visqueux et donc difficilement
mesurable. Passez une cuillère
sous l'eau chaude, le sirop sera
plus facile à travailler.

VARIANTE

Vous pouvez également utiliser
les chutes de pâte pour faire
un décor en treillis.

1 Sur un plan fariné, abaisser la pâte pour foncer un moule à tarte à fond amovible de 24 cm de diamètre et réserver les chutes de pâte. Piquer le fond de tarte à l'aide d'une fourchette et réserver au réfrigérateur.

2 À l'aide d'un emporte-pièce ou d'un couteau pointu, découper des formes dans les chutes de pâte pour décorer le dessus de la tarte.

3 Dans une jatte, mélanger le sirop de sucre de canne, la chapelure, la crème fraîche et le zeste et le jus de citron ou d'orange.

4 Garnir le fond de tarte de la préparation obtenue et décorer les bords avec les formes découpées.

5 Cuire au four préchauffé, à 190 (th. 6-7), 35 à 40 minutes, jusqu'à ce que la garniture soit prise.

6 Laisser la tarte tiédir, démouler et servir avec de la crème anglais

pain au fromage et au jambon

pour 1 pain

225 g de farine levante

1 cuil. à café de sel

2 cuil. à café de levure chimique

1 cuil. à café de paprika

75 g de beurre, coupé en dés,
un peu plus pour graisser

125 g de fromage à pâte cuite
assez fort, râpé

75 g de jambon fumé,
grossièrement haché

2 œufs, battus

150 ml de lait

CONSEIL

Ce délicieux pain est plus savoureux le premier jour et ne se conserve pas très longtemps.

une consistance de chapelure fine, et incorporer le fromage et le jambon.

4 Incorporer les œufs battus et le lait.

3

5 Garnir le moule de la préparation obtenue.

6 Cuire au four préchauffé, à 180 °C (th. 6), 1 heure, jusqu'à ce que le pain soit bien levé.

4

1 Beurrer un moule à cake d'une contenance de 450 ml et le chemiser de papier sulfurisé.

2 Tamiser la farine, le sel, la levure et le paprika dans une jatte.

3 Incorporer le beurre avec les doigts, de façon à obtenir

7 Laisser le pain tiédir, démouler et laisser refroidir complètement sur une grille.

8 Servir coupé en tranches épaisses.

4

arte à l'oignon

4 personnes

50 g de pâte brisée fraîche,
prête à l'emploi, décongelée
si nécessaire

rine, pour saupoudrer

0 g de beurre

5 g de lardons

00 g d'oignons, finement émincés

œufs, battus

0 g de parmesan, fraîchement
râpé

cuil. à café de sauge séchée

el et poivre

2 Piquer la pâte à l'aide
d'une fourchette et mettre
au réfrigérateur 30 minutes.

3 Dans une casserole, faire fondre
le beurre, ajouter les lardons
et les oignons émincés, et faire cuire
à feu doux 25 minutes, en ajoutant
1 cuillerée à soupe d'eau si les oignons
commencent à brunir.

VARIANTE

Pour les végétariens,
remplacez les lardons
par la même quantité
de champignons.

---

4 Incorporer l'œuf battu, le fromage
et la sauge à la préparation, saler
et poivrer.

5 Garnir le fond de tarte
de la préparation obtenue.

6 Cuire au four préchauffé, à 180 °C
(th. 6), 20 à 30 minutes, jusqu'à
ce que la garniture soit prise.

Sur un plan fariné, abaisser
la pâte pour foncer un moule
arte à fond amovible de 24 cm
diamètre.

7 Laisser tiédir, démouler et servir
la tarte chaude ou froide.

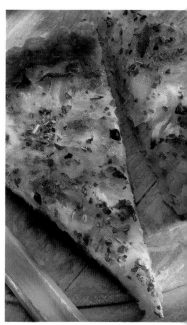

petits pains à la tomate séchée

pour 8 petits pains

225 g de farine, un peu plus
  pour pétrir
½ cuil. à café de sel
1 sachet de levure de boulanger
100 g de beurre, fondu,
  légèrement refroidi,
  un peu plus pour graisser
3 cuil. à soupe de lait, tiède
2 œufs, battus
50 g de tomates séchées
  au soleil, égouttées
  et finement hachées
lait, pour badigeonner

VARIANTE

Pour plus de goût, ajoutez
des anchois et des olives
finement émincés à la pâte
à l'étape 5.

---

1 Beurrer légèrement une plaque
  de four.

2 Tamiser la farine, la levure et le sel
  dans une jatte, incorporer le lait,
le beurre et les œufs, et bien amalgamer
le tout, de façon à obtenir une pâte.

3 Sur un plan fariné, pétrir la pâte
  5 minutes, éventuellement à l'aide

d'un mixeur équipé d'un crochet
pétrisseur.

4 Placer la pâte dans une jatte
  beurrée, couvrir et laisser lever
près d'une source de chaleur 1 heure
à 1 h 30, de façon à ce qu'elle double
de volume. Aplatir la pâte avec
les poings et pétrir quelques minutes.

5 Pétrir la pâte 2 à 3 minutes
  et incorporer les tomates,
en farinant régulièrement le plan
de travail car les tomates sont
gorgées d'huile.

6 Diviser la pâte en 8 boules
  et les disposer sur la plaque.
Couvrir et laisser lever environ
30 minutes, de façon à ce que
les petits pains doublent de volume.

7 Enduire de lait et cuire au four
  préchauffé, à 230 °C (th. 7-8),
10 à 15 minutes, jusqu'à ce qu'ils
soient bien dorés.

8 Disposer sur une grille, laisser
  tiédir et servir.

pain aux épices

pour 1 pain

225 g de farine levante,
   un peu plus pour saupoudrer
100 g de farine
1 cuil. à café de levure chimique
¼ de cuil. à café de sel
¼ de cuil. à café de poivre
   de Cayenne
2 cuil. à café de poudre de curry
2 cuil. à café de graines de pavot
25 g de beurre, coupé en dés,
   un peu plus pour graisser
150 ml de lait
1 œuf, battu

1 Beurrer légèrement une plaque de four.

2 Tamiser les farines dans une jatte et ajouter la levure, le sel, le poivre, le curry et les graines de pavot.

3 Incorporer le beurre avec les doigts, de façon à obtenir une consistance de chapelure.

4 Ajouter le lait et l'œuf, et mélanger jusqu'à obtention d'une pâte souple.

5 Sur un plan fariné, pétrir légèrement la pâte quelques minutes.

6 Façonner une boule avec la pâte et dessiner une croix au centre.

7 Cuire au four préchauffé, à 190 °C (th. 6-7), 45 minutes.

8 Laisser refroidir le pain sur une grille et servir en tranches ou en grosses bouchées.

CONSEIL

Si la surface du pain brunit trop, recouvrez-la de papier d'aluminium jusqu'à la fin de la cuisson.

mini-focaccias

pour 4 focaccias

350 g de farine, un peu plus
  pour saupoudrer

½ cuil. à café de sel

1 sachet de levure de boulanger

2 cuil. à soupe d'huile d'olive,
  un peu plus pour graisser

250 ml d'eau, tiède

100 g d'olives vertes ou noires,
  dénoyautées et coupées en deux

GARNITURE

2 oignons rouges, émincés

2 cuil. à soupe d'huile d'olive

1 cuil. à café de gros sel

1 cuil. à soupe de feuilles
  de thym

1   Huiler légèrement une plaque
de four, tamiser la farine et le sel
dans une grande jatte, et incorporer
la levure. Verser l'huile d'olive et l'eau
tiède, et mélanger avec les doigts,
jusqu'à obtention d'une pâte.

2   Sur un plan fariné, pétrir la pâte
5 minutes, éventuellement
7 à 8 minutes à l'aide d'un mixeur
équipé d'un crochet pétrisseur.

3   Placer la pâte dans une jatte
beurrée, couvrir et laisser lever
1 heure à 1 h 30 près d'une source
de chaleur, de façon à ce qu'elle
double de volume. Aplatir la pâte
avec les poings 1 à 2 minutes.

4   Incorporer la moitié des olives
en pétrissant, diviser la pâte
en quatre et façonner des ronds avec
chaque portion. Disposer sur la plaque
et faire de petits trous dans la pâte
avec les doigts.

5   Parsemer d'oignons rouges
et d'olives, verser l'huile d'olive
et saupoudrer de sel et de thym.
Couvrir et laisser lever encore
30 minutes.

6   Cuire au four préchauffé, à 190 °C
(th. 6-7), 20 à 25 minutes, jusqu'à
ce que les focaccias soient bien cuites
et dorées.

7   Laisser refroidir sur une grille
et servir.

VARIANTE

Vous pouvez utiliser la même
quantité de pâte pour
confectionner une seule focaccia.

73

pain irlandais

pour 1 pain

1 cuil. à soupe de beurre,
 pour graisser
300 g de farine complète
300 g de farine, un peu plus
 pour saupoudrer
2 cuil. à café de levure chimique
1 cuil. à café de bicarbonate
 de soude
2 cuil. à soupe de sucre en poudre
1 cuil. à café de sel
1 œuf, battu
425 ml de yaourt nature

VARIANTE

Pour une version fruitée
de ce pain, incorporez 125 g
de raisins secs à l'étape 2.

---

1 Beurrer et fariner une plaque de four.

2 Tamiser les farines, la levure, le bicarbonate de soude, le sucre et le sel dans une jatte.

3 Battre les œufs et le yaourt, incorporer le mélange obtenu à la préparation précédente et mélanger, jusqu'à obtention d'une pâte souple et collante.

4 Sur un plan fariné, pétrir la pâte quelques minutes, de sorte qu'el s'assouplisse, et façonner une boule d'environ 15 cm de diamètre.

5 Disposer la pâte sur la plaque et dessiner une croix au centre, à l'aide d'un couteau tranchant.

6 Cuire au four préchauffé, à 190 ° (th. 6-7), 40 minutes, jusqu'à ce que le pain soit bien doré.

7 Laisser complètement refroidir le pain sur une grille et servir coupé en tranches.

petits pains à l'ail

pour 8 petits pains

1 cuil. à soupe de beurre,
   pour graisser
12 gousses d'ail, épluchées
350 ml de lait, un peu plus
   pour dorer
450 g de farine, un peu plus
   pour saupoudrer
1 cuil. à café de sel
1 sachet de levure de boulanger
1 cuil. à soupe d'herbes
   de Provence séchées
2 cuil. à soupe d'huile de tournesol
1 œuf, légèrement battu
gros sel, pour saupoudrer

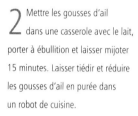

1 Beurrer légèrement une plaque de four.

2 Mettre les gousses d'ail dans une casserole avec le lait, porter à ébullition et laisser mijoter 15 minutes. Laisser tiédir et réduire les gousses d'ail en purée dans un robot de cuisine.

3 Tamiser la farine et le sel dans une jatte, et incorporer la levure et les herbes de Provence.

4 Ajouter le lait, l'huile et l'œuf battu, et mélanger avec les doigts, de façon à obtenir une pâte.

5 Sur un plan fariné, pétrir la pâte quelques minutes, de façon à obtenir une pâte lisse et souple.

6 Placer la pâte dans une jatte beurrée, couvrir et laisser lever 1 heure près d'une source de chaleur, de façon à ce qu'elle double de volume.

7 Aplatir la pâte avec les poings 2 minutes, la diviser en 8 boules et les disposer sur la plaque. Pratiquer une ou deux incisions sur chaque petit pain, couvrir et laisser reposer 15 minutes.

8 Enduire les pains de lait et saupoudrer de gros sel.

9 Cuire au four préchauffé, à 220 °C (th. 7-8), 15 à 20 minutes, laisser refroidir complètement sur une grille et servir.

cones à la moutarde et au fromage

pour 8 scones

225 g de farine levante, un peu
plus pour saupoudrer

cuil. à café de levure chimique

pincée de sel

50 g de beurre, coupé en dés,
un peu plus pour graisser

25 g de fromage à pâte cuite
assez fort, râpé

cuil. à café de moutarde en poudre

50 ml de lait, un peu plus
pour dorer

1 Beurrer légèrement une plaque
de four.

2 Tamiser la farine, la levure et le sel
dans une jatte, et incorporer
le beurre avec les doigts, de façon
à obtenir une consistance de chapelure.

3 Ajouter le fromage, la moutarde
en poudre et assez de lait,
de sorte que le mélange forme
une pâte.

4 Sur un plan fariné, pétrir
très légèrement la pâte,

et l'abaisser avec la paume de la main
de sorte qu'elle ait environ 2,5 cm
d'épaisseur.

5 Découper la pâte en 8 parts
régulières, enduire la surface
d'un peu de lait et poivrer.

6 Cuire au four préchauffé, à 220 °C
(th. 7-8), 10 à 15 minutes,
jusqu'à ce que les scones soient bien
dorés.

7 Laisser tiédir sur une grille
et servir.

Parragon
Queen Street House
4 Queen Street
Bath BA1 1HE, Royaume-Uni

ISBN: 1-40543-380-9

Imprimé en Indonésie

Réalisation : InTexte Édition

NOTE

Une cuillerée à soupe correspond à 15 à 20 g d'ingrédients secs
et à 15 ml d'ingrédients liquides. Une cuillerée à café correspond
à 3 à 5 g d'ingrédients secs et à 5 ml d'ingrédients liquides.
Sans autre précision, le lait est entier, les œufs sont de taille moyenne
et le poivre est du poivre noir fraîchement moulu.

Les temps de préparation et de cuisson des recettes pouvant varier
en fonction, notamment, du four utilisé, ils sont donnés
à titre indicatif.

La consommation des œufs crus ou peu cuits n'est pas recommandée
aux enfants, aux personnes âgées, malades ou convalescentes
et aux femmes enceintes.